L'ÂGE D'OR HOLLANDAIS

De Rembrandt à Vermeer
avec les trésors du Rijksmuseum

Organisation
Pinacothèque de Paris

Direction artistique
Marc Restellini
Assisté de
Hélène Desmazières

Commissaire de l'exposition
Ruud Priem

Éditions Pinacothèque de Paris
sous la direction de
Marc Restellini

Chargé des éditions
Alexandre Curnier

PINACOTHÈQUE DE PARIS
28, place de la Madeleine
75008 Paris

En association avec le
RIJKS MUSEUM
amsterdam

I

L'Âge d'Or Hollandais

Les artistes hollandais ont peint la vie quotidienne avec tant d'intensité et de talent qu'aujourd'hui encore, la perception que nous avons de ce pays, de ses coutumes et de sa vie sociale porte la marque indélébile de leurs représentations. Dans ces intérieurs hollandais ordinaires mais bien tenus, nous accompagnons du regard de jeunes servantes en train de vaquer à leurs tâches quotidiennes ou une mère s'occupant de son enfant. Ailleurs c'est un artisan dans son atelier, totalement absorbé dans son travail, ou encore de riches marchands hollandais posant devant leur manoir de campagne, loin des villes surpeuplées.

Leur mode de vie raffiné contrastait vivement avec les scènes habituelles où l'on voyait des paysans s'enivrant et banquetant dans des tavernes villageoises. Les peintres de l'âge d'or ne se contentaient pas de représenter le directeur de la Compagnie hollandaise des Indes orientales (Verenigde Oostindische Compagnie, abrégé en VOC) ou le bourgmestre (maire), comme des individus à part entière ; ils accordaient la même attention au portrait d'une femme vendant ses marchandises sur le marché, ou à celui d'un tailleur et de l'épouse de celui-ci. Cette exposition n'a pas seulement pour but de nous présenter les meilleurs artistes hollandais du dix-septième siècle ; elle nous fait aussi pénétrer à travers leurs yeux dans le monde où ils vivaient.

Introduction

Dutch painters depicted daily life in the Republic in such strong and vivid terms that even today our image of the country, its customs and the social life of its inhabitants bears the indelible hallmark of their particular way of seeing. In the plain but neat Dutch interiors, we follow servant girls going about their daily duties, a mother attending to her child, an artisan totally absorbed in his craft, and wealthy Dutch merchants posing in front of their country estates, far from the overcrowded cities.

Their cultivated way of life was in stark contrast to the familiar scenes of excessively drinking and feasting folk in peasant taverns. Not only the governor of the Dutch East India Company (Verenigde Oostindische Compagnie, abbreviated to VOC) and the mayor, but also the market woman selling her wares, the tailor, and the housewife were all portrayed as individuals by the painters of the Golden Age. Here we are introduced to the best Dutch seventeenth-century artists and the culture in which they lived and worked, as seen through their eyes.

Pieter de Hooch ❦ *Scène d'intérieur avec une mère épouillant son enfant (le devoir d'une mère)* (détail) ❦ c. 1658-60

Les artistes & leur monde

Ce qui fait le caractère exceptionnel des Pays-Bas du dix-septième siècle, c'est le nombre incroyable de peintres virtuoses qui y travaillaient. La grande quantité de tableaux qui sont parvenus jusqu'à nous était faite pour être vendue sur le marché ; pour la première fois dans l'histoire, la classe moyenne acquérait en effet des œuvres d'art en quantité importante. Cela encouragea les artistes à se spécialiser dans des domaines bien particuliers. Ils développèrent ainsi un haut niveau de compétence, qui allait leur permettre de résister sur un marché très compétitif.

Les peintres s'étaient organisés en guildes englobant artistes et artisans (peintres en bâtiments), ce qui leur faisait bénéficier d'un filet de sécurité durant les époques difficiles, et d'une protection relative contre les concurrents des autres villes. Les règlements de ces guildes interdisaient aux artistes d'accepter des commissions officielles en dehors de leurs villes respectives. Il y avait cependant des exceptions pour les artistes éminents qui s'étaient fait une clientèle parmi des mécènes importants et à l'étranger. Mais un grand nombre d'artistes dont nous admirons aujourd'hui les œuvres étaient obligés de pratiquer une autre activité que la peinture afin de gagner leur vie.

The artists & their world

The sheer number of highly accomplished painters made the Netherlands in the seventeenth-century unique. The wealth of paintings which have come down to us were made for sale on the free market, to a middle class which for the first time bought art on a large scale. This encouraged the development of a high level of skill in a particular specialty that would give an artist a foothold in the competitive market.

Painters were organized in broad-based professional guilds where artists were included with house painters. Guild membership offered a safety net in hard times and some degree of protection against the competitors from outside the city. Guild regulations prevented artists from accepting official commissions from outside their own city, but exceptions were made for distinguished artists who won important patrons and an international clientele. However, many whose work we admire today had to combine painting with other activities to make a living.

Karel du Jardin * *Autoportrait* * 1662

Lodewijk van der Helst ❦ *Willem van de Velde II (1633-1707), peintre* ❦ c.1660-1672

Wallerant Vaillant * *Maria van Oosterwijck (1630-1693), peintre de fleurs* * 1671

Natures mortes & Arts appliqués

Still-life painting & the applied arts

Les tableaux représentant des natures mortes étant très populaires, certains peintres s'étaient spécialisés sur un seul sujet. Il y avait ainsi des peintres de fleurs ou de toebackjes (natures mortes avec des ustensiles de fumeur). Certains peignaient aussi des vanités : un crâne ou un sablier, souvent associés à des objets de grande valeur, symbolisaient la nature éphémère des biens de ce monde.

Dans ces tableaux, les objets servaient à mettre en valeur le talent de l'artiste. Le rendu parfait des textures, les compositions ingénieuses et les subtils effets de lumière étaient très admirés et les natures mortes étaient très demandées. Les pièces d'argenterie qui figurent dans les peintures présentées dans l'exposition prouvent amplement que les arts appliqués étaient pratiqués à un niveau tout aussi élevé.

Within the popular specialization of still life, painters tended to concentrate on one particular type, such as floral pieces, toebackjes (still lifes with smoking materials) and banketjes (elegantly laid tables). In the so-called vanitas still life, a skull or an hourglass - often in combination with costly objects - symbolized the fleeting nature of earthly goods.

The objects in these works were combined in such a way that the artist was able to display his painting skill to maximum effect. The perfect rendering of textures, the ingenious compositions, and the subtle light effects were widely admired, and still lifes were much in demand. The silver objects which figure on the paintings shown here are ample proof that the applied arts were practiced on an equally high level.

Abraham Mignon ❧ *Nature morte aux fruits, huîtres et compotier de porcelaine* (détail) ❧ c.1660-79

Jan Davidsz de Heem (attribué à) ❧ *Nature morte avec fleurs dans un verre* ❧ c.1675-80

Aelbert Jansz van der Schoor ⚜ *Vanité (crânes sur une table)* ⚜ c.1660

Jan Davidsz de Heem ❦ *Nature morte avec des livres* ❦ c.1625-29

Rembrandt Harmensz van Rijn * *Portrait de l'orfèvre Johannes Lutma* * 1656

Jan Jansz van de Velde ◈ *Nature morte avec un grand verre de bière (détail)* ◈ 1647

La Ville

La concentration croissante de la population dans les agglomérations urbaines de la république des Pays-Bas – et dans la province de Hollande en particulier – était unique dans une Europe essentiellement rurale. Le commerce et l'industrie florissants avaient en effet apporté la prospérité aux villes de la jeune nation ; et les artistes s'y multipliaient, trouvant inspiration et modèles dans leur environnement. Le manque de prétention qui caractérisait au début la plupart des marchands protestants fit place à un grand intérêt pour les apparences extérieures. Dans plusieurs villes hollandaises – et notamment à Amsterdam - on consacrait d'énormes sommes d'argent pour acheter et meubler de luxueuses maisons, confectionner des vêtements somptueux et acquérir des œuvres d'art.

The City

A high degree of urbanization made the Dutch Republic – and the province of Holland in particular – exceptional within a predominantly rural Europe. The thriving trade and industries of the Republic brought prosperity to its cities where artists flourished and found inspiration and subject matter in their urban surroundings.

The lack of pretension that initially characterized most Protestant merchants gave way to a focused concern with outward appearances. In several Dutch cities – especially in Amsterdam - large sums of money came to be spent on expensive houses, furniture, clothing, and works of art.

Quiringh van Brekelenkam ⚜ *L'atelier du tailleur* (détail) ⚜ 1661

Emanuel de Witte ❦ *Le Nieuwe Vismarkt (Nouveau marché à poissons) à Amsterdam* ❦ c.1677

Jan Steen ⚜ *Le boulanger de Leyde Arent Oostwaard et son épouse Catharina Keizerswaard* (détail) ⚜ 1658

La Campagne

Au dix-septième siècle, les peintres hollandais « découvrirent » leur environnement et peignirent les vastes panoramas de la campagne - plat pays traversé d'un réseau de fleuves. Auparavant, ils avaient considéré le paysage comme une simple source d'inspiration leur permettant de représenter dans leurs tableaux des arrière-plans imaginaires. Maintenant, leurs peintures devenaient plus reconnaissables et plus réalistes. Les rivières et le ciel y tenaient une place prépondérante. Dans les paysages d'hiver, on y voyait de grandes étendues gelées grouillant de patineurs.

A la même époque, de nombreux artistes hollandais préféraient aux paysages réels qui les entouraient le paysage idéalisé de l'Italie ; ils peignaient des montagnes et des ruines de l'Antiquité classique dans lesquelles évoluaient des voyageurs, des pâtres et des vaches. Parmi ces paysagistes italianisants, beaucoup venaient d'Utrecht. Cette ville en grande partie catholique maintenait en effet par tradition des liens forts avec Rome et de nombreux artistes allèrent y travailler. Ils influencèrent ceux de leurs confrères qui n'avaient jamais quitté les Pays-Bas et qui adoptèrent la luminosité des paysages des artistes italianisants dans leurs peintures idéalisées du paysage hollandais.

The Countryside

Dutch painters of the seventeenth-century 'discovered' their own surroundings: the vast panoramas of the flat Dutch countryside, criss-crossed by rivers. Before this time they had responded to the landscape mainly as a source of inspiration for imaginary backgrounds. Now their scenes became more recognizable and realistic, dominated by water and sky or, in the winter, by large expanses of ice filled with skaters. Concurrently a number of Dutch artists chose to depict the idealized landscape of Italy, with mountains, ruins from classical antiquity, travellers, shepherds and cows, rather than their own surroundings. Among the so-called Dutch Italianates were many artists from Utrecht, a largely Catholic city which traditionally maintained strong ties with Rome. Many went to Italy and worked in Rome. They influenced Dutch colleagues who never left the Netherlands but applied the light that they saw in the landscapes of the Italianate painters to their own idealized views of the Dutch landscape.

Adam Pynacker ♥ *Bateliers amarrés au bord d'un lac* (détail) ♥ c.1660

Meindert Hobbema * *Le moulin à eau* * c.1666

Paulus Potter ❧ *Le Frison* ❧ 1652

Paulus Potter ❦ *Le cheval hennit* ❦ 1652

Jan Both ❦ *Paysage italien avec le Ponte Molle* ❦ c.1640-52

Jacob Isaacksz van Ruisdael ❦ *Le château de Bentheim* ❦ c.1670-75

Nicolaes Berchem ❧ *Troupeau de bétail traversant le gué* ❧ 1656

Images & objets religieux
Le Monde de Rembrandt

Religious images & objects
The world of Rembrandt

Pour des raisons pratiques et idéologiques, la république hollandaise de l'âge d'or était très tolérante. Si les documents administratifs mentionnaient le calvinisme comme seule véritable religion chrétienne, celle-ci ne parvint pas à atteindre le statut d'Eglise officielle car au moins un Hollandais sur trois avait une autre conviction religieuse. En 1672, un tiers de la population de la république était catholique, un autre tiers était calviniste et le reste était composé de juifs ou de membres de l'un des mouvements protestants dissidents. Deux tableaux témoignent de la variété de religions, de nationalités et de contextes culturels co-existant au sein de la République : le portrait intimiste du médecin juif Ephraïm Bueno (1599-1665) par Rembrandt et le portrait d'un pasteur par F. Hals.

Utrecht était une exception au sein de la nation car la majorité de sa population était catholique, ce qui se reflétait dans la vie artistique de la ville. Entre 1605 et 1620, de nombreux artistes la quittèrent pour faire le voyage de Rome. Là, ils eurent la révélation de l'œuvre du Caravage (1751-1610), le peintre italien le plus connu de l'époque. Ils adoptèrent sa technique de clair-obscur (contraste intense entre la lumière et l'ombre) et sa façon de peindre ses modèles – souvent des gens du peuple à qui il faisait incarner des personnages religieux – d'après nature. A leur tour, les artistes de « l'école caravagesque d'Utrecht » influencèrent les œuvres des peintres hollandais qui ne s'étaient jamais rendus en Italie, comme le plus célèbre de tous les peintres hollandais du dix-septième siècle : Rembrandt.

Practical and ideological considerations dictated a considerable degree of religious tolerance in the Dutch Republic in the Golden Age. Despite the fact that official documents referred to Calvinism as the only true Christian religion, attempts to accord it the status of a state church proved fruitless, since at least one out of three Dutchmen held other religious beliefs. In 1672 one-third of the population of the Republic was Catholic, one-third was Calvinist, and the rest consisted of Jews or members of one or other of the dissident Protestant movements. Rembrandt's intimate portrait of the Jewish physician Ephraïm Bueno (1599-1665) and Hals's Portrait of a minister attest to the variety of religions, nationalities and cultural backgrounds which co-existed within the Republic. Utrecht presented an exception to the religious demographics of the Republic. The majority of its population was Catholic and this was reflected in the artistic life of the city. In the period 1605 to 1620 many artists from Utrecht went to Rome and fell under the spell of Caravaggio (1573-1610), the most talked-about Italian painter of the day. They adopted his chiaroscuro (dramatic contrasts of light and dark) and the natural portrayal of his models, often ordinary workmen whom he cast in religious roles. In turn the so-called Utrecht Caravaggisti influenced the work of Dutch painters who never visited Italy, such as the most famous of all Dutch seventeenth-century century painters: Rembrandt.

Rembrandt Harmensz van Rijn ❦ *Le Docteur Ephraim Bueno (1599-1665), médecin et écrivain Juif d'Amsterdam* (détail) ❦ c.1647

Emanuel de Witte * *Intérieur de la synagogue portugaise d'Amsterdam* * 1680

Hendrick ter Brugghen * *Adoration des Rois Mages* * 1619

Rembrandt Harmensz van Rijn ❦ *Le reniement de Saint-Pierre* ❦ 1660

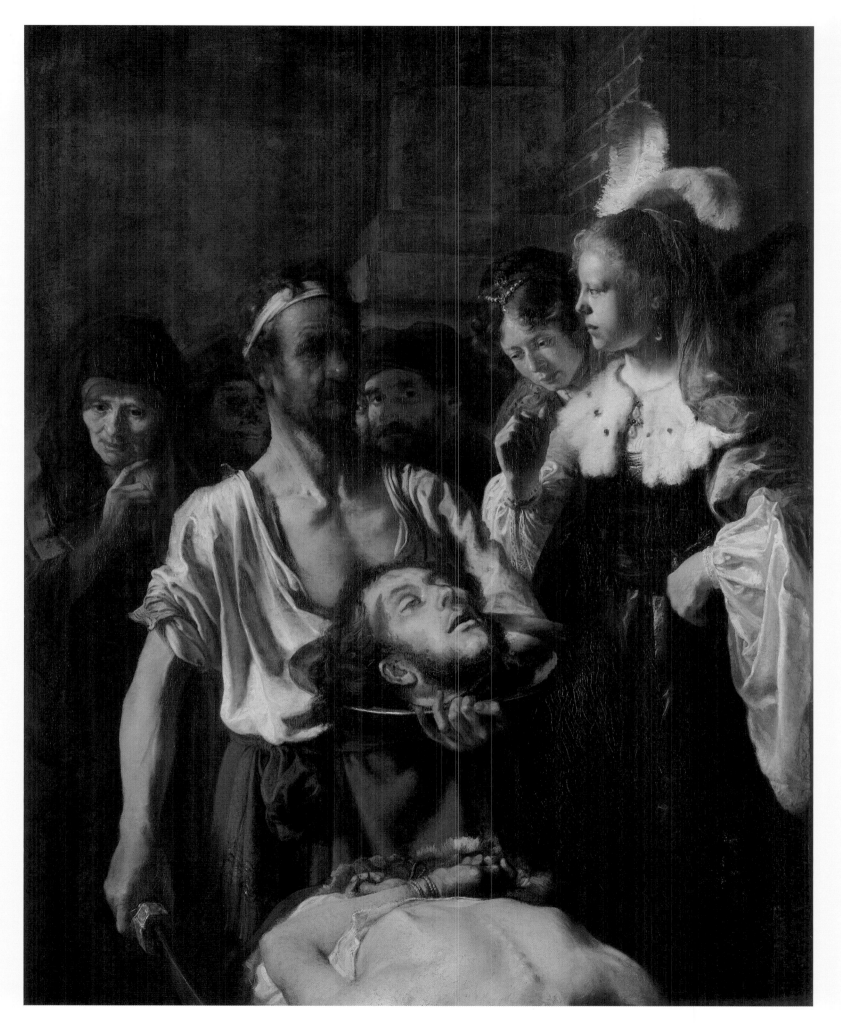

Rembrandt Harmensz van Rijn (atelier de) ❦ *La décapitation de Saint Jean-Baptiste* ❦ c.1640

Nicolaes Maes ❧ *Vieille femme en prière* ❧ c.1650-60

Aert de Gelder ❧ *Roi David* ❧ 1680

Rembrandt Harmensz van Rijn ⁎ *Un Oriental* ⁎ 1635

Cornelis Bega * *Le bénédicité* * 1663

Les Citoyens, les Régents & les Aristocrates dans la République

Burghers, Regents & Aristocrats in the Republic

Dans la deuxième moitié du siècle, il y avait davantage de régents (personnes occupant des charges officielles) et de citoyens nantis assez riches pour s'offrir un mode de vie jusque-là réservé à la noblesse. Une château ou un manoir à la campagne faisait partie de ce nouveau standing. C'était un climat favorable aux arts, car les clients étaient, à juste titre, fiers de leurs réussites ou de leur train de vie et donc fort désireux de se faire immortaliser dans des tableaux ou des sculptures.

Un groupe relativement réduit de familles aristocrates laissa aussi sa marque sur la qualité de l'art produit durant cette période. Au premier plan, il y avait les membres de la cour des stathouders de la Maison d'Orange, qui rivalisaient de plus en plus avec les cours étrangères. Le stathouder Guillame III et Marie Stuart, roi et reine d'Angleterre dès 1689, étaient des amateurs d'art passionnés. Ils bâtirent et décorèrent de nombreux palais en Angleterre et aux Pays-Bas.

Les citoyens nantis aimaient faire exécuter le portrait de leur famille ; ces tableaux occupaient ensuite une place de choix dans leurs pièces de réception luxueusement meublées, où ils côtoyaient souvent es portraits de membres de la famille d'Orange, des ecclésiastiques célèbres ou des personnages publics très admirés. Cela mettait en valeur l' « image de marque » de la famille concernée ; elle se donnait ainsi un poids comme entité sociale et économique solide. Cette coutume fournissait aussi des revenus lucratifs à de nombreux artistes.

In the second half of the century there were more regents (public office holders) and well-to-do burghers whose wealth enabled them to enjoy a way of life previously reserved for the nobility. A country estate or manor house outside the city was part of that life. This was a favourable climate for the arts, as patrons justly proud of their success or their family's standing were eager to have themselves immortalized in paint and stone.

A relatively small group of aristocratic families also set their stamp on the quality of the art produced during this period. Foremost among them were members of the court of the stadholders of the House of Orange which increasingly competed with foreign courts. The stadholder William III and Mary Stuart, from 1689 king and queen of England, were art-lovers who built and decorated a number of palaces in England as well as in the Netherlands.

In the seventeenth-century well-to-do burghers were fond of having themselves portrayed with their families. These portraits were then prominently displayed in their richly furnished reception rooms, often together with images of members of the House of Orange, well-known clergymen, or other much-admired public figures. This served to underscore the 'corporate identity' of the household as an economic and social entity, while emanating reliability and solvency. This custom became a lucrative source of income for many artists.

Aelbert Cuyp ❦ *Portrait d'un jeune homme* (détail) ❦ c.1651

Jan de Bray ❈ *L'imprimeur de Haarlem Abraham Casteleyn (c. 1628-1681) et son épouse Margarieta van Bancken (? - 1693)* ❈ 1663

Dirck Dirksz van Santvoort * *Portrait de Martinus Alewijn (1634-1684)* * 1644

Dirck Dirksz van Santvoort ⁕ *Portrait de Clara Alewijn (1635-1670?)* ⁕ 1644

La République & les Indes Orientales

The Republic and the Dutch East Indies

La Compagnie hollandaise des Indes orientales (Verenigde Oostindische Compagnie, ou VOC) résulta de l'association de plusieurs organisations de marchands de différentes villes hollandaises. Le gouvernement néerlandais accorda un monopole aux navires hollandais en Asie et autorisa la compagnie à passer des accords commerciaux et à maintenir des relations diplomatiques en son nom. Ce fut vite un succès retentissant : les épices, l'or, l'ivoire, la soie, la porcelaine et le sucre remplirent les entrepôts d'Amsterdam et firent de la VOC la plus grande compagnie de commerce et de transport maritime au monde. Pendant deux siècles, elle envoya plus d'un million de personnes en Asie, dans une zone allant de la mer Rouge au Japon.

Le commerce avec l'Extrême-Orient eut naturellement un effet sur l'art hollandais : on demanda aux orfèvres de dessiner de nouveaux récipients pour les épices exotiques et les potiers de Delft s'inspirèrent de la porcelaine chinoise importée en grande quantité. Dans les années 1640, l'approvisionnement en porcelaine d'Extrême-Orient baissa de façon spectaculaire en raison de troubles politiques en Chine. Les poteries de Delft se mirent alors à produire une faïence qui imitait les décorations chinoises. Toute l'Europe était friande des « chinoiseries de Delft », céramiques élégantes au modèle exotique.

The Dutch East India Company (Verenigde Oostindische Compagnie, abbreviated to VOC) was founded in 1602 as a cooperative venture of mercantile organizations from various Dutch cities. The Dutch government granted the VOC a monopoly on Dutch shipping in Asia and empowered it to enter into trade agreements and maintain diplomatic relations in its name. The company soon proved a resounding success: spices, gold, ivory, silk, porcelain and sugar filled the warehouses of Amsterdam and made the VOC into the world's largest trading and shipping enterprise. Over a period of two hundred years the Dutch East India Company sent over a million people from Europe to Asia, and engaged in trade in an area stretching from the Red Sea to Japan.

Trade with the Far East naturally had an effect on Dutch art: silversmiths were prompted to design new containers for exotic spices and Delft potters were inspired by shiploads of Chinese porcelain. In the 1640s the supply of porcelain from the Far East to Europe declined dramatically due to political unrest in China, so the potteries of Delft turned to the production of faience that imitated Chinese decoration. Delftware chinoiserie soon filled the continuing demand across Europe for elegant ceramics of exotic design.

Jacob Jansz Coeman * Pieter Cnoll et sa famille (détail) * 1665

Jacob Jansz Coeman ☙ *Pieter Cnoll et sa famille* ☙ 1665

Les Scènes de Genre
(scènes de la vie quotidienne)

Genre pieces
(Scenes from Everyday Life)

On appelle scènes de genre les peintures et les gravures représentant des personnes en train de se livrer à leurs occupations quotidiennes – dans et autour des maisons, dans une taverne, au travail. (Le mot « genre » est aussi utilisé, plus généralement, pour indiquer certains types de peintures, comme les natures mortes, les portraits et les peintures d'histoire). Très souvent, les scènes de genre qui semblaient avoir été peintes sur le vif étaient en réalité exécutées dans l'atelier de l'artiste. Dans beaucoup – mais pas tous– de ces tableaux apparemment réalistes, il y avait des messages cachés révélant un principe moral. Ils n'étaient pas faciles à déchiffrer.

Si l'on en croit l'immense popularité de ces œuvres à l'époque, les spectateurs adoraient résoudre ces énigmes, tout en admirant la qualité artistique et en appréciant la vivacité des scènes amusantes. Certains portraits ont parfois une qualité qui évoque la scène de genre ; dans ces œuvres aussi, il se passe plus de choses que ce que l'on voit à première vue.

Paintings and prints in which people are portrayed going about their everyday activities - in and around the house, in a tavern, at work - are known as genre pieces. (The word genre is also used more generally to denote painting types, such as still lifes, portraits, history paintings, or even genre pieces.) Many genre pieces that appear to have been done from life, were actually made in the artist's studio. In many – but not all – of these seemingly realistic images, there are hidden, moral messages which are not easy to decipher.

The tremendous popularity of these works in the seventeenth-century suggests that people took considerable pleasure in solving the riddle, while revelling in the artistic qualities and amusing scenes. Some portraits also have a genre-like quality, and in these works too, there is more going on than immediately meets the eye.

Johannes Vermeer ⁎ *La lettre d'amour* (détail) ⁎ c.1669-70

Jan Steen ▾ *Femme à sa toilette* ▾ c.1659-60

Caspar Netscher * *Scène d'intérieur avec mère peignant son enfant* * 1669

Pieter de Hooch * *Scène d'intérieur avec une mère épouillant son enfant (le devoir d'une mère)* (détail) * c.1658-60

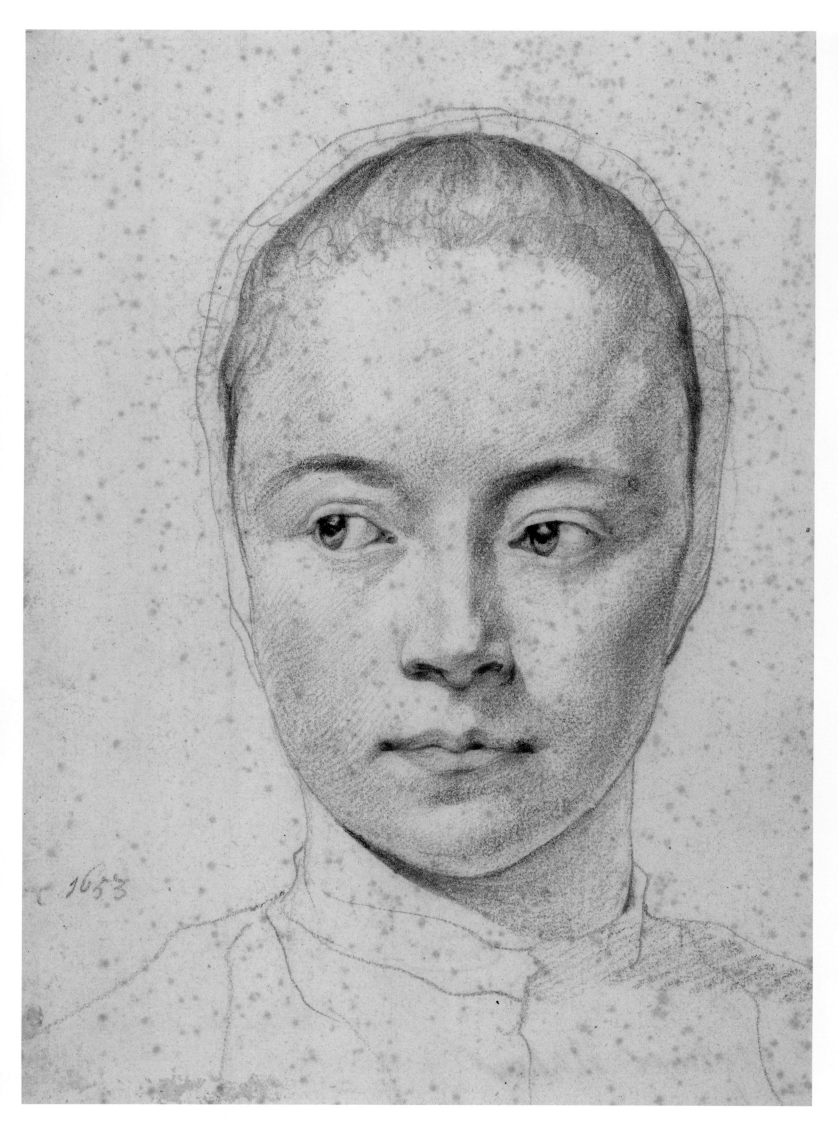

Leendert van der Cooghen * *Tête de jeune fille* * 1653

Gerard ter Borch ✣ *Jeune fille assise en costume de paysanne*, vraissemblablement Gesina ter Borch ✣ c.1650

Moses ter Borch ❦ *Autoprotrait de face avec béret* ❦ 1660

Rembrandt Harmensz van Rijn ✤ *Portrait de son fils Titus, habillé en moine* ✤ 1660

Adriaen van de Velde ❦ *Nourrice tenant un enfant sur ses genoux* ❦ c.1667

Liste des œuvres

Pinacothèque de Paris
L'Âge d'Or hollandais de Rembrandt à Vermeer
avec les trésors du Rijksmuseum

Du 7 octobre 2009 au 7 février 2010

**Exposition organisée
en association avec le**

Direction artistique
Marc Restellini
Assisté de Hélène Desmazières

Commissaire de l'exposition
Ruud Priem

Chargé des éditions
Alexandre Curnier
Assistante Frédérique Lavigne

Textes
Ruud Priem
Traduction Maïca Sanconie

Conception et réalisation graphique
Vanessa Farnot & José Palomero
TheWelltime Studio, Paris - www.thewelltime.com

Impression
Stipa, Montreuil

Dépôt légal
Octobre 2009